Les Ballerines Magiques

Le carnaval des bonbons

Merci à Ann Bryant et Dynamo Limited

Cet ouvrage a initialement paru en langue anglaise
chez HarperCollins Children's Books sous le titre :
Holly and the Land of Sweets

© HarperCollins Publishers Ltd. 2009 pour le texte et les illustrations.
Illustrations par Dynamo Limited.
L'auteur/l'illustrateur déclare détenir les droits moraux
sur cette œuvre en tant qu'auteur/illustrateur de cette œuvre.

© Hachette Livre 2012 pour la présente édition.

Adapté de l'anglais par Natacha Godeau.

Colorisation des illustrations et conception graphique :
Lorette Mayon,

Hachette Livre, 43 quai de Grenelle, 75015 Paris.

Darcey Bussell

Les Ballerines Magiques

Le carnaval des bonbons

hachette
JEUNESSE

Voici Alice Bonnétoile

Ses parents sont de célèbres danseurs étoiles.
Ils voyagent beaucoup, alors Alice se sent
seule. Pourtant, elle rêve de devenir Première
Ballerine, elle aussi ! Un jour, Rose,
une ancienne élève du cours de danse,
lui donne une paire de chaussons magiques.
Ils ont le pouvoir de la transporter
à Enchantia, le royaume des ballets ! À Alice,
maintenant, de protéger le pays enchanté
des mille dangers qui le menacent…

À l'école de danse

Le *Cours de Danse
de Madame Zarakova* est
une école extraordinaire.
Alice s'en rend
vite compte !

Madame Zarakova,
qu'on appelle
Madame Zaza,
est mystérieuse, et connaît
de fabuleux secrets !

Laura prend des leçons
de danse avec Alice.
Malgré quelques disputes,
au début de l'année,
les deux fillettes
deviennent amies.
Mais Enchantia reste
le secret d'Alice…

Enchantia

Le palais royal

Chez la Fée Dragée

La vallée des friandises

Le village

THEATRE

Le grand théâtre

Les habitants d'Enchantia

Le Roi Tristan, son épouse la Reine Isabella
et leur fille la belle Princesse Aurélia
vivent au palais royal,
un magnifique château de marbre blanc.

Mistigry, le Chat Blanc,
aide Alice à protéger
Enchantia.
C'est le frère du Chat
Botté, et il connaît
des tours fantastiques !

La Méchante Fée
vit dans un affreux
château fort.
Elle voudrait
devenir la Reine
d'Enchantia !

Le Roi n'a qu'un rêve :
chasser le bonheur
d'Enchantia.

Sans oublier deux
autres ennemis jurés
de la danse :
le Sorcier de la Nuit...
et la Cruelle Sorcière !

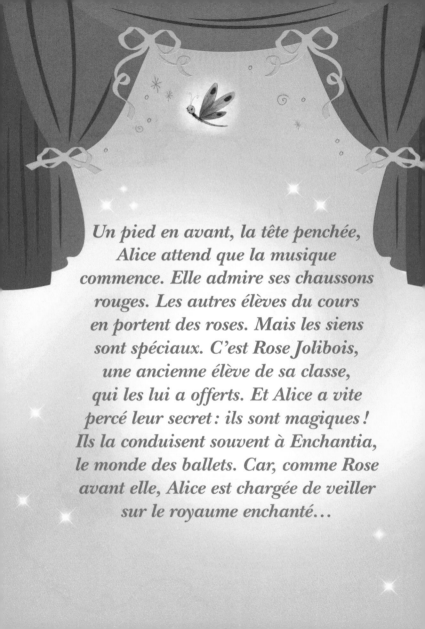

Un pied en avant, la tête penchée,
Alice attend que la musique
commence. Elle admire ses chaussons
rouges. Les autres élèves du cours
en portent des roses. Mais les siens
sont spéciaux. C'est Rose Jolibois,
une ancienne élève de sa classe,
qui les lui a offerts. Et Alice a vite
percé leur secret : ils sont magiques !
Ils la conduisent souvent à Enchantia,
le monde des ballets. Car, comme Rose
avant elle, Alice est chargée de veiller
sur le royaume enchanté…

1. Une grande nouvelle

Alice adore les vacances scolaires. Sa mère vient toujours passer quelques jours avec elle. En tant que Danseuse Étoile, elle voyage beaucoup à travers le monde. Alors, Alice habite chez son oncle et sa tante. Ils sont très

gentils, mais sa mère lui manque. Surtout que, depuis le divorce de ses parents, Alice ne voit presque jamais son père. Il est danseur professionnel, lui aussi…

— Alice, j'ai une grande nouvelle, dit sa mère en arrivant à la maison. Je quitte la Troupe du Royal Ballet !

La fillette n'en croit pas ses oreilles.

— Comment ça ?

— J'ai décidé de devenir professeur de danse, ma chérie. J'en ai assez, de la scène et des longues tournées. Le moment est venu de réorienter ma carrière !

Alice a envie de crier de joie.

— Ça veut dire qu'on va enfin vivre ensemble ? Hourra !

— Oui, c'est merveilleux, Alice. Le seul problème, c'est que l'école qui m'a engagée se trouve dans la ville voisine. Il va donc falloir déménager !

Tout à coup, la fillette ne sourit plus. Si elle déménage, elle n'ira plus à l'école de danse de

Madame Zaza avec Laura. Pourtant, c'est sa meilleure amie !

« Mais je suis trop contente d'habiter avec maman, pense aussitôt Alice. En plus, elle sera mon professeur de danse, maintenant ! Je n'aurai qu'à inviter Laura pour les vacances… »

— Tu n'es pas trop triste de partir, ma chérie ?

La fillette sent son cœur se serrer. Quel dommage, de quitter Laura ! Elle bredouille :

— Pas trop, maman… Mais tu promets de m'aider à voir Laura, de temps en temps ?

— Bien sûr !

— Alors, ça va, affirme Alice.

Elle ne veut pas que sa mère croie que son retour l'embête. Elle est si heureuse, au contraire !

Plus tard, ce jour-là, Alice se rend lentement à son cours de danse. Elle s'inquiète. Elle a peur de faire de la peine à Laura en lui annonçant la nouvelle. Elle soupire :

— Pourquoi tout doit changer ? J'aurais tellement aimé rester avec Laura et avec maman !

En tout cas, ce qui ne changera pas, c'est le grand secret d'Alice. Elle possède des chaussons magiques ! C'est une ancienne élève de Madame Zaza, qui les lui a donnés. Ils sont rouges, usés, mais dès que nécessaire, ils la trans-

portent à Enchantia, le royaume des ballets ! Alice a vécu des aventures extraordinaires là-bas, en compagnie de son ami le Chat Blanc… D'ailleurs, elle a hâte d'y retourner !

« Mais pour l'instant, il faut que je parle à Laura », se résigne-t-elle.

Elle grimpe quatre à quatre les marches du perron de l'école. Puis elle pousse la porte d'entrée et se rend aux vestiaires d'un pas ferme.

« Oh là là, quel monde ! »

Le samedi matin, il y a beaucoup d'élèves, chez Madame

Zaza. Heureusement, Laura a
réservé une place à Alice, sur le
banc des vestiaires. Les deux fillettes se changent en bavardant
gaiement. Elles enfilent leurs

collants, leur body et leurs chaussons. Elles nouent solidement les rubans autour de leurs chevilles... et Alice ne sait toujours pas comment avouer son départ à son amie !

« Il suffit que je le lui dise carrément, pense-t-elle. Allez, du cran ! »

Elle prend alors une profonde inspiration et lance d'une traite :

— Tu sais quoi, Laura ? Maman devient professeur de danse, on va enfin vivre tout le temps ensemble !

— Génial ! Je suis trop contente pour toi !

Alice hésite :

— Par contre, on doit déménager. On quitte la ville, et je ne viendrai plus aux cours de Madame Zaza…

— Qu'est-ce que tu dis ?

Laura blêmit. Ses yeux s'emplissent de larmes.

— Non, Alice ! Tu es ma meilleure amie, tu ne peux pas m'abandonner comme ça !

Et elle se sauve dans le couloir. Alice se retient de pleurer : ça se passe encore plus mal qu'elle ne le craignait !

2. L'accident

Pendant toute l'heure du cours de danse, Laura sourit et fait comme si de rien n'était. Alice déteste ça !

« Je sais qu'elle est triste, en réalité. Je dois absolument la consoler! » décide-t-elle.

Mais dans les vestiaires, à la fin de la leçon, Laura l'en empêche en discutant exprès d'autre chose. Et plus tard, en sortant de l'école, c'est pareil: plutôt

que d'écouter Alice, Laura veut s'amuser à celle qui sautera le plus de marches du perron !

— Je vais en sauter six ! s'excla-me-t-elle. Non, tiens : je parie que je réussis à sauter les huit marches d'un coup !

Alice panique.

— Tu es folle, Laura ! C'est beaucoup trop haut !

— Mais non !

La fillette s'élance et… boum !
elle tombe sur le trottoir en se
tordant horriblement la jambe.
Elle sanglote, le visage déformé
par la douleur.

— Aïe ! J'ai mal, Alice !

— Ne t'inquiète pas, je fonce
chercher Madame Zaza !

De retour à la maison, Alice s'impatiente. Les pompiers ont emmené Laura aux urgences, et Alice veut savoir si son amie est gravement blessée ou non. Elle demande pour la dixième fois :

— On peut appeler l'hôpital, maman ?

— Non, ma chérie. Dès que les docteurs auront fini d'examiner Laura, sa mère nous téléphonera. Essaie de penser à autre chose, en attendant. Tu pourrais regarder ton DVD de *Casse-Noisette*, par exemple ?

Alice obéit. Mais comme elle s'en doutait, le merveilleux ballet

de Tchaïkovski ne la distrait pas. Pourtant, elle adore la *Valse des Fleurs*, dans le passage du Royaume des Friandises ! En fait, Alice pense tellement à son amie que, lorsque le téléphone sonne enfin, elle sursaute de soulagement.

— Laura va bien, la rassure sa mère après avoir raccroché. Mais elle s'est cassé la cheville. Elle est rentrée chez elle avec un gros plâtre. Elle aimerait que tu lui rendes visite.

— Oh, je peux, dis, maman ?

— Évidemment ! réplique la jeune femme en ramassant ses

clefs de voiture sur la table. En route !

Elle ouvre la porte. Alice a juste le temps de s'emparer de son sac de sport avant de la suivre dans l'allée du jardin.

Laura est assise sur le canapé du salon, sa jambe plâtrée reposant devant elle sur un pouf. En apercevant Alice, elle rougit.

— J'ai été idiote de vouloir sauter toutes les marches, tu ne trouves pas ?

Alice ne répond pas. Elle veut simplement réconforter son amie. Elle propose :

— Et si je dessinais quelque chose sur ton plâtre ? J'ai pris mon sac de danse parce que j'ai mes feutres, à l'intérieur.

Laura hoche la tête. Quelle bonne idée ! Alors, Alice s'applique.

Elle dessine deux ballerines en position d'arabesque, puis elle éclate de rire.

— C'est toi et moi, mais c'est un peu raté, le plâtre n'est pas assez lisse !

Laura soupire.

— En tout cas, je ne pourrai pas refaire d'arabesque avant des mois et des mois.

— Je vais te prouver le contraire ! s'exclame Alice.

Elle lui prend les mains et l'aide à se lever du canapé.

— Tu vois, tu peux déjà en faire une petite !

Laura se rassoit en souriant.

— Tu sais ce que j'aimerais, Alice ? Que tu danses pour moi !

Alice n'en a pas très envie. Ça lui rappelle trop qu'elle va quitter la ville, Laura et Madame Zaza ! Mais elle enfile quand même ses chaussons rouges pour faire plaisir à son amie. Et soudain, elle se met à penser qu'elle aussi, elle devrait donner à son tour les chaussons magiques à une autre élève, avant de partir de l'école… ce qui ne lui plairait pas du tout !

— Tu fais une drôle de tête, Alice, remarque alors Laura. Ça ne va pas ?

— Si, si ! ment la fillette. Je dois juste aller… euh… aux toilettes. Je reviens !

Vite, elle s'éloigne dans le couloir. Ouf ! Maintenant qu'elle est seule, elle retrouve son calme… lorsque, tout à coup, ses chaussons magiques scintillent comme des rubis ! Elle se réjouit :

— Hourra ! On a besoin de moi à Enchantia !

Un frisson remonte le long de ses mollets, les chaussons se mettent à danser. Ils entraînent la fillette qui pirouette dans les airs. Tout devient flou autour d'elle. Une brume multicolore tourbillonne et…

3. Au secours de la Fée Dragée

Pof ! Alice atterrit au pied d'un extraordinaire Palais de Pain d'Épice dont les murailles sont recouvertes d'un glaçage étincelant à la vanille.

— Je rêve ! s'écrie la fillette, stupéfaite.

— Miaou-miou, Alice, tu es bien à Enchantia ! répond une voix familière.

Alice se retourne. Elle sourit à son ami le Chat Blanc, toujours aussi élégant en gilet doré et chapeau à plume.

— Bonjour, Mistigry! On est où, ici?

— Dans la Vallée des Friandises, de *Casse-Noisette*!

La fillette regarde autour d'elle : quelle merveille ! Les montagnes de sucre candi ont des

sommets de crème fouettée. Des arbres-sucettes et des maisons de gelée de fraise s'élèvent dans des champs de guimauve. Il y a même une rivière de grenadine !

— Tout ça a l'air aussi étonnant que… délicieux ! fait Alice avec gourmandise.

— Sauf qu'on a un grave problème, dit Mistigry. Viens !

Alice le suit dans l'allée de flocons de noix de coco qui mène au palais. Ils entrent dans l'immense salle de bal, et la fillette est époustouflée par les colonnes de pâtes de fruits, le plafond de nougatine, le parquet de caramel

et les murs de petits gâteaux exotiques. Soudain, elle aperçoit les artistes Friandises, sur la piste, et elle comprend où est le problème : ils sont incapables de garder l'équilibre ! Les danseurs du chocolat, en tenue espagnole, titubent les uns contre les autres. Les danseuses du café, dans leur costume des mille et une nuits,

emmêlent leurs longues queues-de-cheval. Les danseurs du thé glissent sans grâce dans leurs chaussons chinois. Les danseuses du caramel, venues de Russie, ratent leurs pirouettes. Et quand les Corolles de la *Valse des Fleurs* entrent en scène, c'est encore

pire : les ballerines dérapent, tré-
buchent et s'écroulent les unes
sur les autres. C'est une vraie
catastrophe !

— Qu'est-ce qui se passe, Mistigry ? s'étonne Alice, horrifiée.

Son ami soupire :

— Les Friandises et les Corolles
ont perdu leur talent. Ils ne
seront jamais prêts à temps pour
le Grand Carnaval des Bonbons,
ce soir !

— Mais comment ont-ils oublié
leurs pas de danse ?

— C'est simple, Alice. Ils sont
tous nés de la magie de la Fée
Dragée. C'est la reine de la vallée

et, sans elle, ils ne peuvent plus danser !

— Mais pourquoi la Fée Dragée est partie ?

— Oh, elle n'est pas partie, c'est la Méchante Fée qui l'a capturée. Elle la retient prisonnière dans son château fort !

Alice frissonne. Elle a déjà combattu la Méchante Fée, au cours de ses aventures à Enchantia. Et cette affreuse sorcière est vraiment cruelle et effrayante ! Alice aurait préféré ne jamais la revoir... mais il faut sauver la Vallée des Friandises !

— Mistigry, on doit aller délivrer la Fée Dragée ! déclare-t-elle brusquement.

Le chat la félicite.

— Merci, Alice. Je savais que tu accepterais d'aider le royaume. Donne-moi la main, je vais nous transporter chez la Méchante Fée...

Le Chat Blanc tend la pointe gauche vers le sol. Il trace un cercle lumineux tout autour d'eux. Un nuage d'étoiles scintillantes les enveloppe et… *pof!* ils atterrissent derrière un buisson, juste devant la porte du château fort.

— On ne pouvait pas atterrir à l'intérieur? murmure Alice.

— Hélas non, regrette Mistigry. Chez la sorcière, mes pouvoirs magiques sont moins puissants que les siens.

— Tant pis, réplique la fillette. On fonce quand même au secours de la Fée Dragée!

4. Chez la Méchante Fée

En approchant du château fort, Mistigry s'étonne :

— Par mes moustaches d'argent, l'herbe est grasse et bien tondue, par ici. J'ai dû me tromper de château…

— Non, je reconnais les tours

pointues, dit Alice. La Méchante Fée a dû en avoir marre de son vieux jardin en friche, et elle a dû l'arranger un peu…

Le Chat Blanc contemple les parterres de fleurs colorés d'un air incertain. Il imagine mal la Méchante Fée se mettre à aimer les jolies choses ! Soudain, des

éclats de voix retentissent, au détour de l'allée :

— Et un, et deux, et trois, et quatre !

— La sorcière ! souffle Alice. Elle arrive ! Vite, on doit se cacher !

— Par là ! murmure Mistigry en l'entraînant aux écuries du château.

Ils s'agenouillent dans un angle du bâtiment et observent l'extérieur par un trou, dans une planche de la paroi.

— Je n'en crois pas mes yeux ! chuchote Alice.

La sorcière marche bizarre-

ment, sa longue cape verte flottant sur ses épaules. Elle compte « et un » en fléchissant les genoux, puis se redresse en titubant à « et deux »… Alice comprend :

— La Méchante Fée danse, mais ce n'est pas très gracieux…

C'est pour ça qu'elle a transformé son jardin : pour devenir ballerine, elle sait qu'il faut s'exercer sur un terrain lisse !

À ces mots, une jolie fée en tutu mauve rejoint la sorcière sur la pelouse et corrige sa position. Le Chat Blanc s'exclame :

— Dragée !

— La Fée Dragée ? répète Alice. Mais alors, elle n'est pas prisonnière… et en plus, elle apprend à danser à la carabosse !

— Je pense que la Méchante Fée lui a jeté un sort pour qu'elle reste auprès d'elle et lui obéisse, devine le chat.

Devant eux, la Fée Dragée
continue sa leçon :

— On recommence le plié.
Plus souples, les genoux !

— Peuh ! proteste la sorcière.
Je n'ai pas besoin d'un professeur pour recevoir des conseils
aussi idiots !

La Fée Dragée l'ignore. Elle reprend patiemment :

— Redressez-vous, les épaules basses, la tête haute, le dos droit...

— Non mais ça ne va pas ?! l'interrompt brutalement la Méchante Fée. Je ne suis pas en caoutchouc !

Elle se tient vraiment très mal : les pieds en dehors, les genoux en dedans... Elle vacille sur ses jambes, se cramponne au poignet de la Fée Dragée pour conserver son équilibre. Puis elle s'écrie avec fierté :

— Et voilà ! C'est bien, non ?

— Euh…, hésite la fée. Disons qu'il y a du progrès !

La sorcière est si ridicule qu'Alice ne peut pas s'empêcher d'éclater de rire. Vite, Mistigry lui plaque une patte sur la bouche ! Mais trop tard : la Méchante Fée a entendu !

— Qui ose se cacher dans mon écurie ? hurle-t-elle d'une voix stridente.

Et verte de colère, elle s'approche à larges enjambées du bâtiment… Alice et le Chat Blanc sont pris au piège !

5. Leçons de danse

La Méchante Fée ouvre en
grand la porte de l'écurie. Elle
aperçoit Alice et le Chat Blanc.
Elle rugit :

— Que faites-vous ici ? Je ne
vous ai pas invités ! En plus, vous
vous moquez de moi ?

Ses yeux lancent des éclairs de rage. Alice tremble, terrorisée.

« On est fichus, elle va nous foudroyer sur place ! »

Mais la sorcière tourne soudain les talons, sort de l'écurie et referme la porte à clef en ricanant :

—Clic ! Clac ! Enfermés comme des rats ! Je m'occuperai de vous après ma leçon !

Alice gémit :

—Oh non ! On est prisonniers, et tout est ma faute !

— On va trouver une solution, ne t'inquiète pas, affirme le Chat Blanc d'un ton rassurant.

Dehors, la sorcière recommence à insulter la Fée Dragée. Alice soupire.

—Pauvre Dragée, elle n'y arrivera jamais. La Méchante Fée est beaucoup trop rigide, butée, et colérique !

— Mais à quoi ça sert, ces

stupides positions? tempête justement la sorcière. Se tenir sur une
jambe comme un flamant rose
ou sautiller comme un pingouin,
c'est de la danse, ça, peut-être?!

Elle tape du talon et ajoute:

— Tu es le pire professeur de
l'univers, Dragée!

La jolie fée rougit de confu-
sion.

— Alors, on va étudier autre
chose. Tendez la pointe gauche
en l'air…

La Méchante Fée s'exécute et
badaboum! elle tombe par terre
en plein sur le derrière!

— J'en ai plus qu'assez! crie-

54

t-elle, furieuse. Dragée, tu n'es qu'une incapable. Hors de ma vue, espèce de demi-fée !

Et sous le regard horrifié d'Alice et de Mistigry, la sorcière agite sa baguette d'ébène en récitant :

— *Au donjon, à double tour et pour de bon !*

Et Dragée disparaît! Puis, la sorcière ajoute:

— *Qu'une Friandise vienne sur-le-champ m'enseigner, de la danse, les rudiments!*

Et *pouf!* une danseuse espagnole du Palais de Pain d'Épice apparaît sur la pelouse.

— Apprends-moi à faire une pirouette ! ordonne la sorcière.

L'ennui, c'est que la danseuse a perdu son don. Elle s'élance avec maladresse, joue des castagnettes pour s'accompagner et… percute un arbre ! Alice murmure à l'oreille du Chat Blanc :

— Tant que Dragée ne sera pas libérée, plus personne ne saura danser, dans la Vallée des Friandises !

Bien sûr, la sorcière est hors d'elle. Elle se met à hurler :

— Tu es encore plus nulle que Dragée ! Retourne d'où tu viens !

Elle brandit sa baguette, la danseuse disparaît dans un nuage vert et la sorcière enchaîne :

— *Qu'une Corolle vienne immédiatement m'enseigner, de la danse, les rudiments !*

Et *pouf !* une ballerine de la *Valse des Fleurs* atterrit à ses côtés. Incapable de valser, elle a perdu ses plus beaux pétales et garde la tête penchée, d'une mine chagrinée. La Méchante Fée s'énerve :

— Comment voulez-vous apprendre à danser avec un professeur aussi triste?

Et d'un coup de baguette magique, elle renvoie la Corolle chez elle, avant d'appeler d'autres Friandises, puis de les renvoyer aussi vite en hurlant chaque fois de colère et de déception. Si bien, qu'à la fin, la sorcière, agacée, abandonne et se dirige vers son château fort.

— Miaou-miou! s'affole Mistigry. Et nous? On ne va pas rester enfermés dans l'écurie?

Alice trépigne.

— Il faut faire quelque chose!

On doit absolument délivrer Dragée !

Le chat réfléchit. Tout à coup, Alice a une idée.

— Je vais proposer à la carabosse de lui apprendre à danser !

La fillette frissonne. C'est très risqué, mais elle n'a pas le choix ! Alors, les mains en porte-voix, elle appelle :

— Eh ! Madame la Méchante Fée ! Je peux vous aider, si vous voulez !

6. Professeur Alice

La sorcière s'immobilise. Elle jette un coup d'œil par-dessus son épaule, en direction de l'écurie. Elle a un petit sourire bizarre, et Alice frémit en la voyant revenir lentement sur ses pas.

Pourvu qu'elle réussisse à lui

apprendre à danser, maintenant! Sinon…

«Je préfère encore ne pas imaginer ce qu'il pourrait m'arriver!» se dit la fillette en ravalant sa peur.

Enfin, la Méchante Fée ouvre la porte. Elle pointe le doigt sur Alice et rugit:

— Sale petite menteuse!

— Mais je vous promets que je peux…, commence la fillette, toute tremblante.

La carabosse l'interrompt:

— Qu'est-ce qu'une pauvre humaine pourrait connaître en danse? Par contre…

Elle se tourne vers le Chat Blanc.

— Par contre, ça m'a donné une idée géniale : Mistigry, tu vas être mon professeur !

— Moi ? Oh non, non ! Je ne…

— Plus un mot! grogne la Méchante Fée.

Et elle l'entraîne de force dans le jardin, en prenant soin de refermer la porte à clef derrière elle. Alice s'empresse de regarder par le trou, dans la paroi. Mistigry, désespéré, tente déjà d'expliquer à la sorcière comment réaliser une arabesque…

— On va essayer un grand jeté, alors, dit-il. Regardez!

Il se met à bondir gracieusement autour d'elle. Puis il lui prend la main mais la Méchante Fée s'emmêle les pieds et s'écroule par terre comme un sac.

— Ça suffit ! s'égosille-t-elle, vexée.

D'un coup de baguette magique, elle ouvre la porte de l'écurie pour y enfermer Mistigry. Sans hésiter, Alice saisit sa chance !

— Attendez ! crie-t-elle en se faufilant avant que le battant ne claque.

Elle court se planter devant la Méchante Fée et, les poings sur les hanches, elle ajoute :

— Je vous assure que je suis capable de vous aider !

Sur quoi, elle se lance dans une suite de pas compliqués. La sorcière ne semble pas tellement

impressionnée. Alice insiste. Elle pirouette, virevolte avec légèreté dans l'herbe. La Méchante Fée la contemple alors d'un air envieux.

— D'accord, Alice Bonnétoile, admet-elle à contrecœur. Tu es une assez bonne danseuse. Mais ça ne prouve pas que tu sois aussi un bon professeur !

— Faites-moi l'honneur d'essayer de vous apprendre à danser ! rétorque la fillette. J'ai tout de suite vu que vous aviez du talent !

La sorcière se radoucit subitement. Alice continue à la flatter :

— Si vous n'avez pas encore réussi à exécuter le moindre pas, ce n'est pas votre faute, c'est celle de vos professeurs. Les Friandises sont nulles, en ce moment. Et le Chat Blanc ne s'est pas donné beaucoup de mal pour vous aider…

Elle fait un signe discret à Mistigry, dans son dos, pour l'avertir qu'elle ne pense pas ce qu'elle dit. Mais bien sûr, son ami a tout compris. Il trouve d'ailleurs le plan d'Alice très ingénieux !

— Votre don est si particulier

que avez besoin d'un professeur spécial, poursuit la fillette. Moi, je ne viens pas d'Enchantia. Voilà pourquoi je suis la personne idéale !

La sorcière fronce les sourcils. Elle défie Alice.

— Parfait. Dans ce cas, explique-moi ce qui me manque.

La fillette hésite. Puis, s'inspirant de ce que Madame Zaza lui a appris, elle déclare :

— Le secret de la danse, c'est de laisser s'exprimer le talent qui est en soi !

7. La reine du carnaval

Alice croise les doigts. Si la Méchante Fée refuse de l'écouter et choisit de l'emprisonner à nouveau, elle n'aura plus aucun moyen de délivrer Dragée…

— Montre-moi ! ordonne enfin la sorcière.

Ouf! Alice est rassurée, son plan a fonctionné. Mais le plus dur reste à faire : persuader son adversaire qu'elle peut danser. Et pour ça, la carabosse doit commencer par cesser de grogner et de rouspéter de colère !

— Pour que votre talent s'exprime à travers vos mouvements, il faut d'abord vous relaxer, explique Alice. Respirez lentement...

La sorcière proteste :

— Tu es un charlatan, Alice ! Tu as promis de m'apprendre à danser. Pas à respirer !

La fillette réplique :

— Ça fait partie de la magie, madame. Détendez-vous et fermez les yeux.

Elle parle d'un ton si affirmé que la Méchante Fée lui obéit.

— Maintenant, écartez vos bras et levez-les en douceur au-dessus de votre tête, reprend Alice. Gardez les poignets souples. Voilà, parfait !

En réalité, la sorcière n'est pas gracieuse du tout. Mais Alice l'encourage, comme Madame Zaza

encourage ses élèves. Résultat, la Méchante Fée sourit presque !

— Eh bien, ça y est, vous dansez ! la félicite la fillette.

La sorcière ouvre les yeux.

— C'est vrai ? Je danse pour de vrai ?

Elle paraît surprise et heureuse à la fois, Alice en est presque émue !

— Vous êtes prête à monter sur les demi-pointes ! ajoute la fillette.

La Méchante Fée essaie. Elle chancelle, manque tomber…

« Oh là là ! songe Alice, paniquée. J'ai peut-être exagéré ? Si

75

elle rate maintenant, tout est fini ! »

Mais la sorcière rétablit son équilibre et Alice applaudit.

— Bravo ! Vous apprenez plus vite que moi !

La Méchante Fée est très en confiance, subitement. Elle baisse les épaules, rentre l'estomac… et sourit pour de bon !

— Et comme ça, Alice ?

— C'est encore mieux ! Valsons ensemble !

La fillette l'entraîne sur la pelouse en comptant : et un, et deux, et trois, et quatre ! Et un…

— On fléchit les genoux ! Et
deux ! On se redresse !

Alice éclate de rire. Elle est
tellement contente de voir la
Méchante Fée si joyeuse ! Tout
à coup, la voix de la Fée Dragée
résonne, du sommet du donjon :

— Excellent !

La sorcière lève les yeux. Elle aperçoit sa prisonnière, derrière les barreaux de sa cellule. Alors, elle agite sa baguette d'ébène et récite :

— *Au jardin, libre, et c'est très bien !*

Et *pouf !* la Fée Dragée apparaît sur la pelouse !

— Tu peux rentrer chez toi, jette la Méchante Fée. Je n'ai plus besoin de ton aide, je sais danser ! Je n'en pouvais plus, d'être la seule du royaume à ne jamais valser !

Sur quoi, elle rentre dans son château fort en pirouettant en rythme. Mistigry surgit alors de l'écurie.

— Partons vite avant qu'elle ne change d'avis !

Il tend la pointe gauche vers le sol. Il trace un cercle lumineux tout autour de lui, d'Alice et de la Fée Dragée. Un nuage d'étoiles scintillantes les enveloppe

et… *pof !* ils atterrissent à la porte du Palais de Pain d'Épice.

— Enfin à la maison ! se réjouit la Fée Dragée. Et juste à temps pour le Carnaval des Bonbons !

Puis, elle ajoute :

— Grâce à ton courage et à ta persévérance, Alice, tu as sauvé la Vallée des Friandises !

— Grâce aussi à Mistigry, précise la fillette.

Le Chat Blanc l'embrasse.

— Miaou-miou, quelle aventure ! Quand je pense que la sorcière ne t'a même pas remerciée de l'avoir si bien aidée !

— Oui, j'ai réussi à la rendre un peu plus aimable… mais pas trop quand même ! pouffe la fillette.

La Fée Dragée hoche la tête.

— En tout cas, moi, je te remercie, Alice. Et toi aussi, Mistigry.

En gage de ma reconnaissance, je vous nomme Roi et Reine du Carnaval des Bonbons !

La fête bat son plein, dans l'immense salle de bal du Palais de Pain d'Épice. Les Corolles et les Friandises ont retrouvé leurs pas de danse. Ils s'inclinent tour à tour avec respect devant le Roi Mistigry et la Reine Alice.

Le Carnaval des Bonbons est très gai ! La Fée Dragée interprète un majestueux pas de deux au bras du Prince Casse-Noisette. Et Alice suit le Chat Blanc dans une polka très rythmée quand, soudain, ses chaussons rouges se mettent à briller… Ça y est, elle doit s'en aller !

— Au revoir, Mistigry !

— À bientôt, Alice !

Puis la fillette pirouette sur elle-même. Vite, de plus en plus vite. Une brume multicolore tourbillonne et…

8. Le vrai pouvoir d'Enchantia

Pof! Alice atterrit dans le couloir, chez son amie Laura. Comme d'habitude, le temps s'est arrêté pendant son voyage féerique. Heureusement, sinon tout le monde la chercherait !

« J'aurais adoré assister au

Carnaval des Bonbons avec Laura ! » pense Alice en souriant.

Aujourd'hui, en aidant la Méchante Fée, elle a compris combien il est important de partager ce que l'on a de plus précieux.

« Oui, Laura mérite de connaître Enchantia ! décide soudain Alice. Puisque je quitte l'école de Madame Zaza, je vais lui donner les chaussons magiques ! »

Et elle rejoint joyeusement Laura au salon.

— Te revoilà déjà, Alice ?

— Finalement, je n'ai pas besoin d'aller à la salle de bains.

Au fait, tu veux toujours que je danse pour toi?

— Oh oui!

— Alors, ouvre bien les yeux: voici la *Danse de la Fée Dragée*, de *Casse-Noisette*!

Alice s'applique. Elle imagine ses amis de la Vallée des Friandises et ne fait pas un seul faux pas!

À la fin, Laura applaudit. Alice s'assoit près d'elle, sur le canapé. Elle enlève ses vieux chaussons rouges et les lui tend.

— Tiens, Laura, je te les offre.

— Mais pourquoi, Alice ? Tu les adores !

— Justement. Comme ça, quand j'aurai déménagé, ils te

feront penser à moi en attendant qu'on se revoie.

Laura les accepte, l'œil brillant. Elle murmure avec émotion :

— Merci, c'est un cadeau merveilleux !

— Un cadeau très spécial, acquiesce Alice d'un air mystérieux. Tu le découvriras bientôt, fais-moi confiance !

Elle bondit sur ses pieds nus et se met à pirouetter sur elle-même en riant. Elle a tellement hâte que Laura visite Enchantia, elle aussi ! Elle virevolte à travers la pièce, quand un frisson remonte le long de ses mollets…

Elle retient un petit cri de victoire. Elle comprend tout à coup qu'elle possède désormais le vrai pouvoir d'Enchantia : celui de se rendre au royaume des ballets sans les chaussons, par la magie de la danse, du partage… et de l'amitié !

— Oh, Laura, tout est si fantastique ! s'exclame-t-elle en lui sautant au cou.

— Oui, Alice ! Parce qu'on est les meilleures amies du monde, et quoi qu'il arrive…

— On ne se quittera jamais vraiment !

FIN

Les chaussons magiques brillent…

Pof ! Retrouve très bientôt le monde merveilleux d'Enchantia !

Les Ballerines Magiques

Invitation !

Je t'invite à partager tous mes voyages
à Enchantia, le monde merveilleux des ballets !
Découvre aussi les aventures de Daphné et de Rose !

1. Daphné au royaume enchanté

2. Le sortilège des neiges

3. Le grand bal masqué

4. Le bal de Cendrillon

5. Le palais endormi

6. Le secret d'Enchantia

7. Rose au pays des ballets

8. L'oiseau fabuleux

9. La pierre royale

10. Le sortilège des mers

11. La prisonnière du château

12. Le vœu de Rose

Hors-série :
Voyages à Enchantia

13. Daphné et le voyage féerique

14. Le Noël magique de Daphné

15. Alice au château magique

16. Le sortilège des bois

17. Le cadeau ensorcelé

18. La valse des roses

19. Le palais de glace

Darcey Bussell est une célèbre danseuse étoile.
Tourne vite la page, et découvre la leçon de danse exclusive
qu'elle t'a préparée !

Ma petite méthode de danse

Au Carnaval des Bonbons

L'*assemblé* est un petit saut très gracieux,
parfait pour danser au bras
de ton cavalier préféré !

1.
Tiens-toi bien droite,
les bras le long du corps,
le pied gauche croisé devant
le droit.

2.
Lève la jambe droite vers l'extérieur, pointe tendue, le genou gauche fléchi.

3.
Détends le genou et bondis, jambes tendues, pied droit croisé devant le gauche.

4.
Atterris en douceur, les bras souples et les genoux fléchis, puis recommence.

Table

PAPIER À BASE DE FIBRES CERTIFIÉES

hachette s'engage pour l'environnement en réduisant l'empreinte carbone de ses livres. Celle de cet exemplaire est de : **350 g éq. CO$_2$** Rendez-vous sur www.hachette-durable.fr

Imprimé en Espagne par Cayfosa Impresia Ibérica
Dépôt légal : juillet 2012
Achevé d'imprimer : octobre 2012
20.07.2628.4/02 – ISBN : 978-2-01-202628-5
Loi n° 49956 du 16 juillet 1949
sur les publications destinées à la jeunesse